Le cirq

Texte de Stéphanie Ledu
Illustrations de Rémi Saillard

MILAN

ZIG
ZAG
ZIG
ZIGZAG
Z
Z
Z

Depuis quelques jours,
des **affiches** annoncent
la **venue du cirque**.

ZIGZAG
ZIGZAG
ZIG ZAG
ZIG ZAG
ZIG ZAG
ZIGZAG

Ce matin, surprise :
les camions arrivent !

Ho ! hisse ! Le chapiteau est comme une immense toile de tente. Il faut des heures pour le monter.

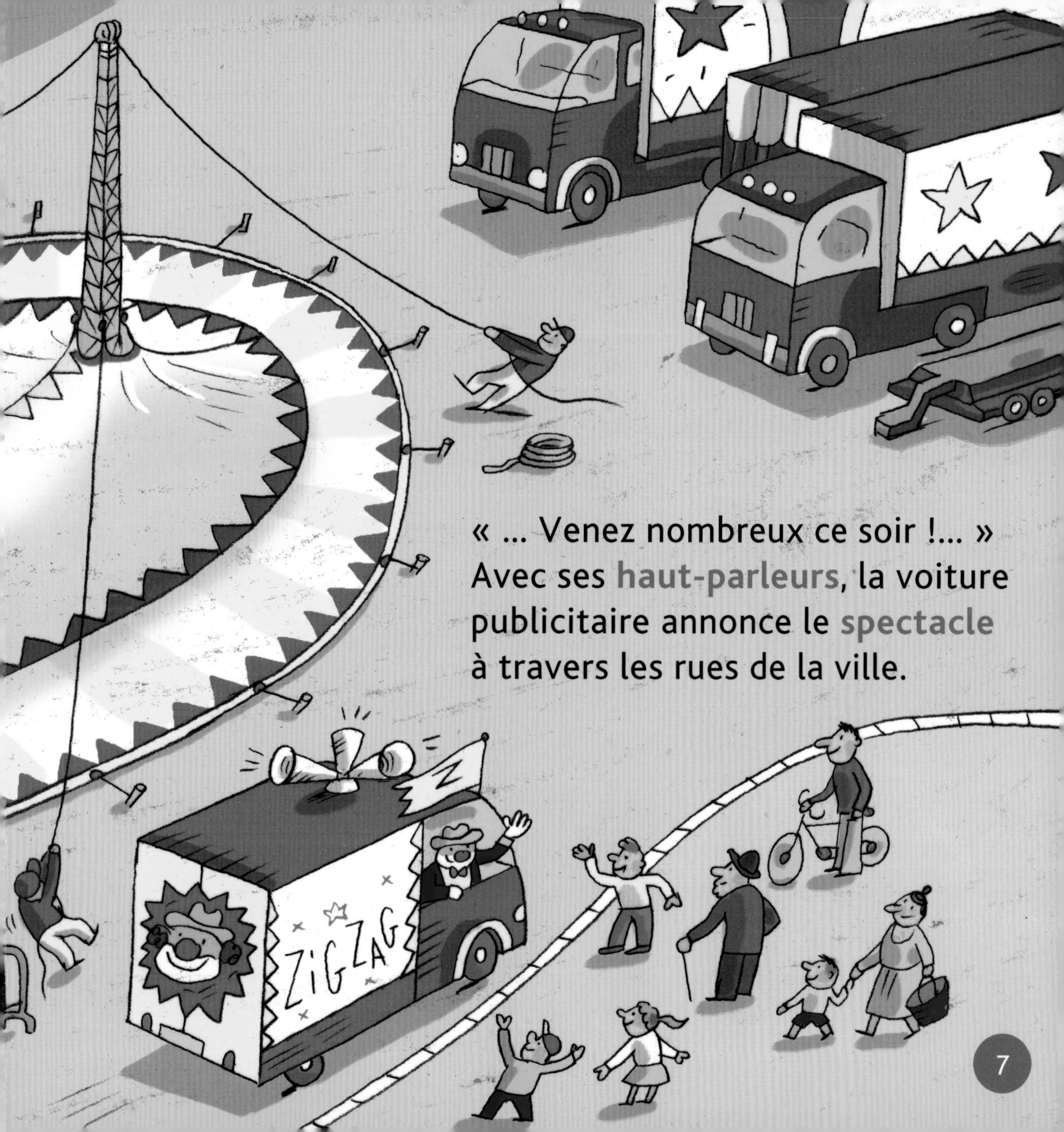
ZiGZAG

« ... Venez nombreux ce soir !... »
Avec ses **haut-parleurs**, la voiture publicitaire annonce le **spectacle** à travers les rues de la ville.

Pendant ce temps, les artistes s'entraînent.
Le jongleur met au point un nouveau numéro.
Boum ! Il doit encore recommencer...

Z
Z
ZiG
ZAG

Plus loin, des enfants
visitent le zoo du cirque :
la **ménagerie**. Certains
préfèrent les **fauves**,
d’autres les **chevaux**.
Eux, on peut les caresser !

Le soir tombe. Tout illuminé, le chapiteau est magnifique !

CAISSE
ZIG

ZAG

Le public se presse pour prendre les tickets à la caisse. Vite, ça va commencer...

Monsieur Loyal présente les numéros.
« Tout le monde est à sa place ? Oui ?
Alors, musique ! Voici les jongleurs ! »

ZiG ZAG

Hop ! les anneaux s'envolent,
les assiettes tournoient...
Quelle adresse ! Un artiste
jongle même avec des torches
enflammées. Bravo !

Les lumières
et la musique se font
plus douces.

L'écuyère entre en piste
et voltige sur le dos de
son beau cheval noir…

Les autres animaux **se cabrent** : on dirait qu'ils dansent !

Le public retient son souffle.
Tout là-haut, les **trapézistes**
font des pirouettes
dans les airs...

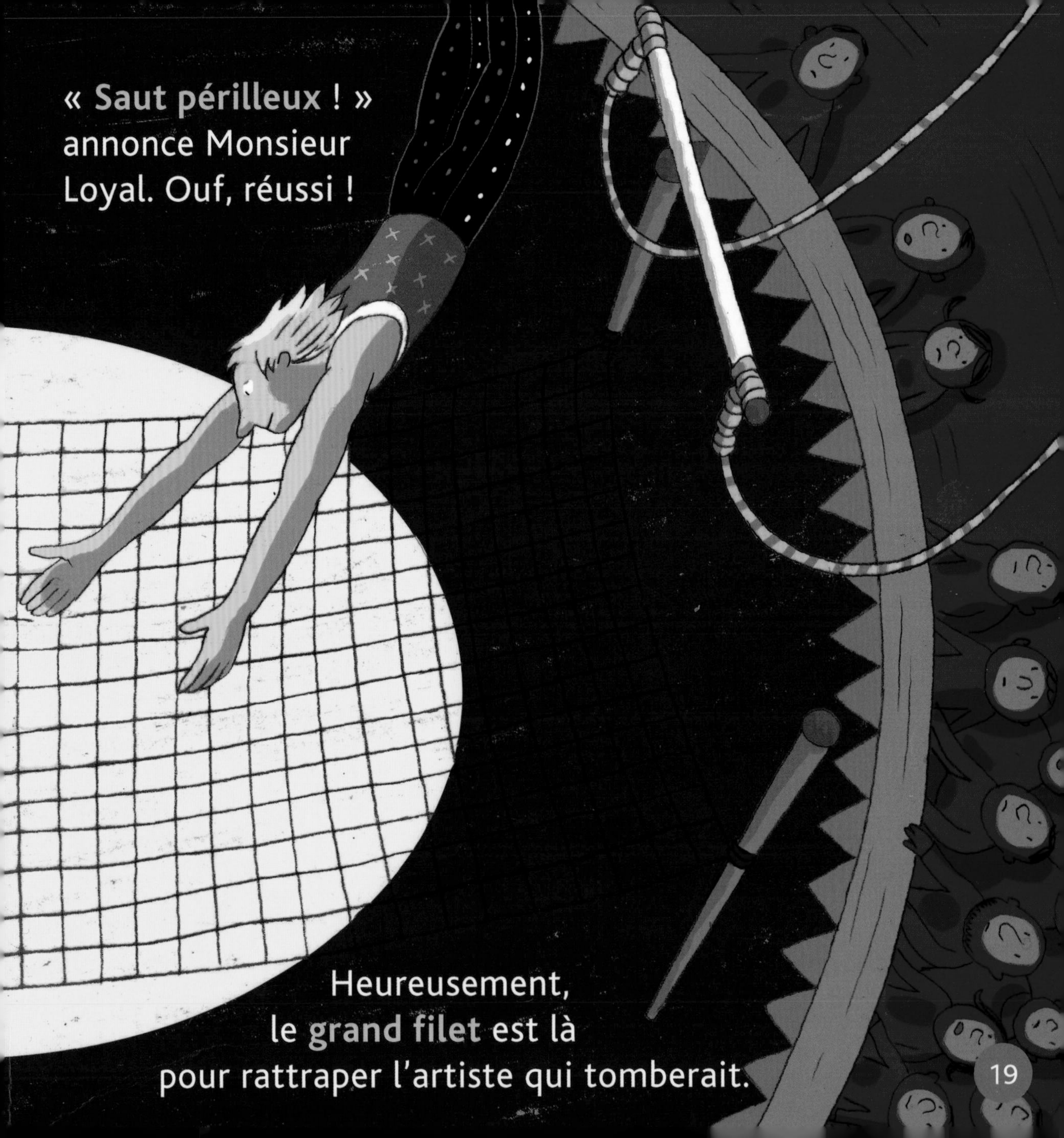

« **Saut périlleux !** » annonce Monsieur Loyal. Ouf, réussi !

Heureusement, le **grand filet** est là pour rattraper l'artiste qui tomberait.

À l'**entracte**, pendant que les enfants mangeaient une glace, les **techniciens** ont installé une **cage** tout autour de la piste. Les **tigres** et les **lions** obéissent à leur **dompteur**, mais ils pourraient être dangereux pour les spectateurs !

« Regardez, monsieur, ce que j'ai dans mon seau ! »
Splash ! L'auguste au nez rouge vient d'arroser le clown blanc. Les enfants rient.

Attention : parfois, les **clowns** font aussi des blagues au public !

Tombera, tombera pas ? Les fildeféristes ont un très bon équilibre. Ils savent marcher sur un fil, et réaliser des tours incroyables. Tout en haut, le funambule fait même du monocycle !

ZiG

Bravo, bravo ! Sous le chapiteau,
les **applaudissements** retentissent.
Monsieur Loyal rappelle la **troupe**,
qui vient saluer.

ZiG ZAG

Le spectacle
est terminé...

ZiGZAG
ZiG ZAG
ZiG ZAG

Pendant la nuit, le chapiteau
a été démonté, les costumes
et les accessoires rangés...

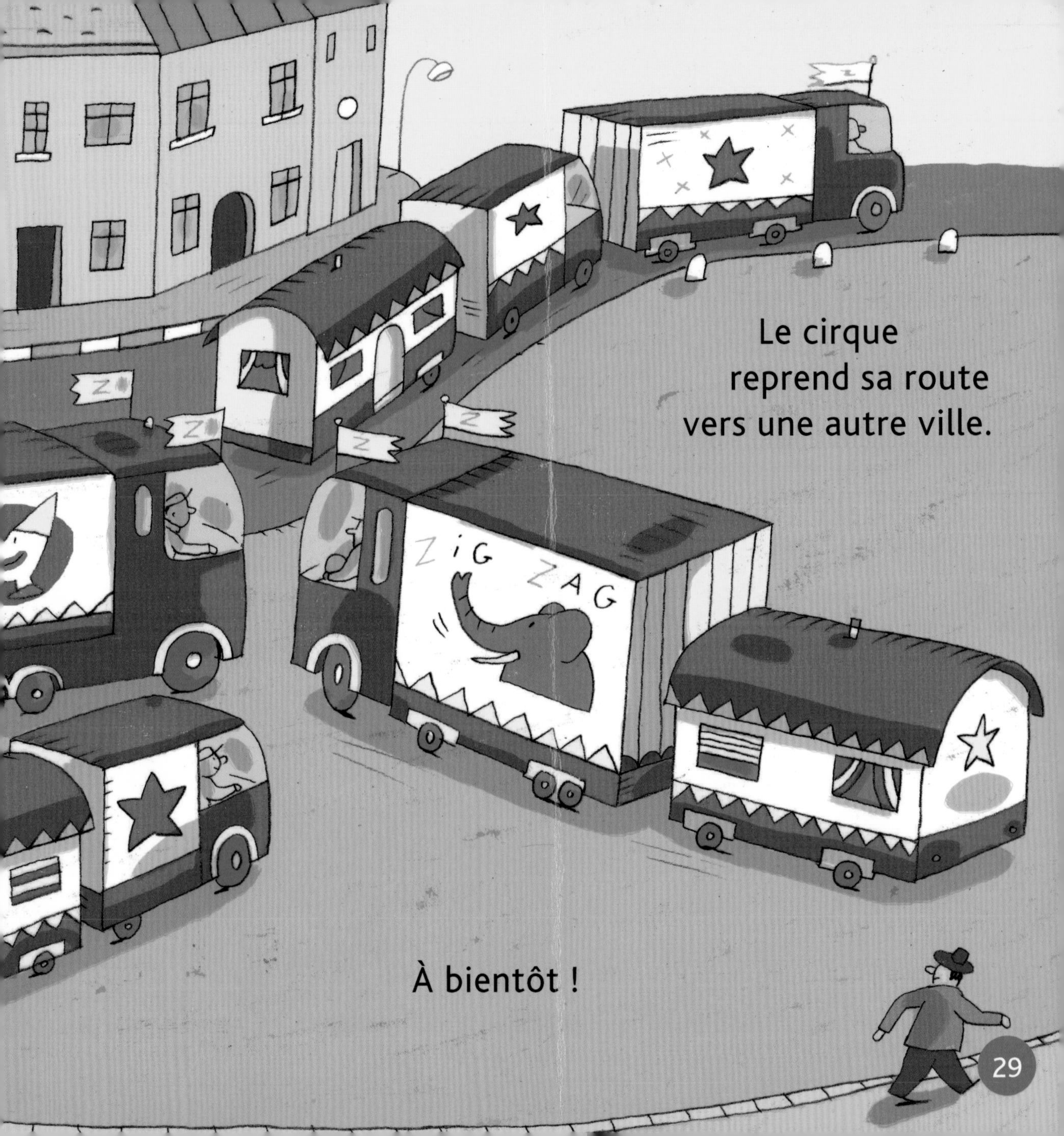
ZiG ZAG

Le cirque
reprend sa route
vers une autre ville.

À bientôt !

Découvre tous les titres de la collection

Mes P'tits DOCS

La station de ski

La pâtisserie

Le chocolat

Le cinéma

Le vétérinaire

Les pirates

Chez le coiffeur

Les animaux de la banquise

Tout propre !

- À table !
- Au bureau
- Le bébé
- Le bricolage
- Les camions
- Le camping
- Les Cro-Magnon

Les abeilles

Les châteaux forts

Les chiens

Le jardin

Les poupées

Le cirque

Les Jeux olympiques

Les grands-parents

Chez le docteur

Les voitures

Les robots

Les chats

- Les dauphins
- Les dents
- Les dinosaures
- L'école maternelle
- L'espace
- La ferme
- La fête foraine